J'AI ENVIE...

Robert Munsch
Illustrations de Michael Martchenko

Texte français de Christiane Duchesne

Éditions
SCHOLASTIC

Catalogage avant publication de Bibliothèque et Archives Canada

Munsch, Robert N., 1945-
[I have to go!. Français]

J'ai envie / auteur, Robert Munsch ; illustrateur, Michael Martchenko;
traductrice, Christiane Duchesne.

(Munsch, les classiques)
Traduction de: I have to go.
ISBN 978-1-4431-2985-5 (broché)

I. Martchenko, Michael, illustrateur II. Duchesne, Christiane, 1949-,
traducteur III. Titre. IV. Titre: I have to go!. Français. V. Collection:
Munsch, Robert N., 1945- . Munsch, les classiques.

PS8576.U575I214 2013   jC813'.54   C2013-904081-1

Édition publiée par les Éditions Scholastic, 604, rue King Ouest, Toronto (Ontario)
M5V 1E1 Canada.

5 4 3 2 1   Imprimé au Canada 119   13 14 15 16 17

Pour Andrew McIsaac de Cookstown, en Ontario
et pour Andrew Munsch de Guelph, en Ontario

Ce jour-là, les parents d'André l'emmènent voir ses grands-parents.

Avant de monter dans la voiture, sa maman demande :
— André, tu veux aller faire pipi?
— Non, non, non, non, non, répond André.

Son papa répète, lentement :
— André, tu veux aller faire pipi?
— Non, non, non, non, répond André. J'ai décidé de ne plus jamais faire pipi.

Ils installent André dans la voiture, ils attachent sa ceinture, ils lui donnent des tas de livres, des tas de jouets et des tas de crayons. Et ils prennent la route. VROUUUM!

Ils roulent depuis à peine une minute quand André crie :
— J'AI ENVIE DE FAIRE PIPI!
— ZUT! dit son papa.
— OH NON! dit sa maman.

— Attends seulement cinq minutes, dit son papa. Dans cinq minutes, nous nous arrêterons à la station-service et tu pourras faire pipi.

— J'ai envie de faire pipi TOUT DE SUITE! crie André.

Sa maman freine. CRIIIIIICH! André bondit hors de la voiture et fait pipi derrière un buisson.

Quand ils arrivent chez grand-papa et
grand-maman, André veut aller jouer dehors.
Il neige. Il lui faut son habit de neige.

Avant de l'habiller, son papa, sa maman
et ses grands-parents lui demandent :
— ANDRÉ, TU VEUX ALLER FAIRE PIPI?
— Non, non, non, non, non, répond André.

Le papa, la maman et les grands-parents courent dehors, déshabillent André et l'amènent vite aux toilettes.

Puis, c'est le souper… un délicieux souper!
Un peu plus tard, c'est l'heure d'aller se coucher.

Avant de mettre André au lit, son papa, sa
maman et ses grands-parents lui demandent :
— ANDRÉ, TU VEUX ALLER FAIRE PIPI?
— Non, non, non, non, répond André.

Sa maman l'embrasse, son papa l'embrasse et ses grands-parents l'embrassent.

— Vous allez voir, dit la maman. Il va crier qu'il a envie de faire pipi...
— C'est comme ça tous les soirs, dit le papa, ça me rend fou.
— Moi, dit la grand-maman, je n'ai jamais eu ce problème-là avec mes enfants.

Ils attendent... 5 minutes, 10 minutes, 15 minutes, 20 minutes.

— Je crois qu'il dort, dit le papa.

— Oui, il dort, dit la maman.

— Il dort vraiment, dit la grand-maman. Et il n'a pas crié qu'il avait envie de faire pipi.

Mais André dit :

— J'ai fait pipi au lit...

Alors la maman, le papa et les grands-parents changent les draps et donnent un pyjama propre à André.

Sa maman l'embrasse, son papa l'embrasse et ses grands-parents l'embrassent. Et ils descendent au salon.

Ils attendent 5 minutes, 10 minutes, 15 minutes, 20 minutes.

Puis ils entendent la voix d'André, en haut :
— GRAND-PAPA, AS-TU ENVIE DE FAIRE PIPI?
— Oui, dit le grand-papa, je crois bien que oui.
— Alors, moi aussi, dit André.

Ils s'en vont tous les deux à la salle de bain et font pipi dans les toilettes.

Ce soir-là, André n'a pas fait pipi au lit. Et depuis, il n'a plus jamais fait pipi au lit.

D'autres livres de Robert Munsch

Et les Classiques